Criw Planed Plant

Mick Manning
a Brita Granström

Addasiad Cymraeg gan Glyn Saunders Jones

@ebol

Freya

Dw i'n flin am gynhesu byd-eang. Dw i mor flin nes i mi benderfynu bod rhaid i mi wneud rhywbeth, felly dyma fynd ati i greu Criw Planed Plant. Bellach, rydym ni wedi creu gwefan newydd sydd i'w gweld ar draws y byd. Os ydych chi am helpu i amddiffyn y byd rhag cynhesu byd-eang, yna beth am ymuno â'r Criw!

I ddechrau, fe wna i esbonio beth ydy ystyr cynhesu byd-eang. Yna, fe wna i eich cyflwyno chi i Griw Planed Plant. Maen nhw'n byw ar draws y byd.

Dyma ein planed ni – y Ddaear. Mae gorchudd o nwyon o gwmpas y Ddaear – dyma'r atmosffer. Mae gwres yr haul yn cael ei ddal yn yr atmosffer – dyma sy'n cadw ein planed yn gynnes. Mae'n debyg iawn i'r hyn sy'n digwydd mewn tŷ gwydr.

yr atmosffer

gwres o'r haul

Peidiwch ag aros i oedolion wneud rhywbeth! Mae'r byd yn perthyn i ni hefyd! Mae pawb yn gallu gwneud rhywbeth i arafu'r newid yn yr hinsawdd.

Byddai pawb ohonom yn rhewi oni bai am yr 'effaith tŷ gwydr' yma. Y broblem ydy fod llygredd yn yr aer yn dal mwy o wres ac, o ganlyniad, mae'r Ddaear yn cynhesu. Mae hyn yn creu newid yn ein hinsawdd. Mae cynhesu byd-eang yn peryglu pob anifail a pherson sy'n byw ar y Ddaear.

Ffeithiau Criw Planed Plant

Mae'r atmosffer yn gymysgedd o nwyon, fel carbon deuocsid a methan. Mae'r nwyon yma'n dal mwy o wres yn yr atmosffer. Pobl sy'n rhyddhau mwy o'r nwyon yma i'r atmosffer.

Mae tanwydd ffosil fel glo yn cael ei losgi mewn gorsaf drydan i wneud trydan. Mae hyn yn cynhyrchu carbon deuocsid sy'n cael ei ryddhau i'r aer.

Rydym ni'n cynhyrchu pob math o bethau gwahanol mewn ffatrïoedd. Mae hyn yn llosgi mwy o danwydd ... gan greu mwy o nwy carbon deuocsid.

Rydym ni'n teithio mewn ceir, lorïau, trenau ac ...

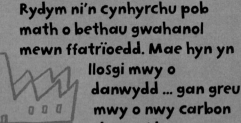

awyrennau. Mae'r peiriannau yma'n llosgi petrol neu ddiesel ... gan greu mwy o nwy carbon deuocsid!

Rydym ni'n taflu sbwriel sy'n pydru ac yn rhyddhau methan i'r aer.

Clara

Dw i'n byw yn Ffrainc. Dw i wedi ymuno â Chriw Planed Plant er mwyn helpu'r tylluanod. Dw i wedi penderfynu fy mod am gerdded i'r ysgol bob dydd er mwyn llosgi llai o betrol. Dw i hyd yn oed wedi perswadio fy nhad i ddefnyddio ceffyl a chert i fynd â'i nwyddau o ddrws i ddrws. Mae Dad erbyn hyn yn un o'r Criw!

6

Diolch, Clara!

Weithiau dw i'n cael lifft i'r ysgol! Cŵl!

Gan ei bod mor wlyb, dydy'r tylluanod ddim yn gallu cael digon o fwyd i'r cywion bach!

Gan fod y tymheredd yn cynhesu oherwydd newid yn yr hinsawdd, mae mwy o ddŵr yn yr aer — ac felly mae mwy o law yn disgyn. Mae'r llygod bach y mae'r tylluanod yn eu bwyta yn aros yn eu tyllau oherwydd y tywydd gwlyb. Felly, dydy'r tylluanod ddim yn gallu hela i fwydo'r cywion bach.

7

Kim

Dw i'n byw yn Korea. Dw i wedi ymuno â Chriw Planed Plant am fy mod wrth fy modd gyda'r arth wen. Dw i'n arbed egni er mwyn rhwystro'r rhew rhag toddi yn y pegynau iâ.

Mae'n rhaid arbed egni. Diffodd y switsh golau!

COFIWCH ARBED EGNI — DIFFODD Y TELEDU!

Diolch, Kim!

Trowch y gwres canolog i lawr er mwyn arbed egni. Beth am wisgo mwy o ddillad os wyt ti'n teimlo'n oer?

Mae cyflenwad y Ddaear o ddŵr wedi rhewi yn cael ei storio yn yr Arctig a'r Antarctig. Ond, wrth i'r hinsawdd gynhesu, mae'r iâ yn dechrau toddi. Mae hyn yn ei gwneud hi'n anodd iawn i'r arth wen deithio o un lle i'r llall i hela.

Cai

Dw i'n byw yng Nghymru. Dw i wedi ymuno â Chriw Planed Plant gan fy mod yn hoffi llyffantod a brogaod. Wrth i'r hinsawdd gynhesu, mae llai ohonyn nhw gan fod llai o diroedd gwlyb iddyn nhw fagu. Felly, dw i wedi penderfynu gwneud pwll dŵr ar eu cyfer.

Crawc!
(Diolch yn fy iaith i!)

Gobeithio y bydd bywyd gwyllt yn y pwll 'ma!

Er bod mwy o law mewn rhai rhannau o'r byd, mae rhannau eraill yn dioddef o sychder. Dyma beth ydy effaith cynhesu byd-eang ar ein byd. Mae llai o lyffantod a brogaod oherwydd bod y corsydd a'r pyllau dŵr yn sychu.

Aurelia

Dw i'n byw yn yr Eidal. Dw i'n ddigalon. O ganlyniad i gynhesu byd-eang, does dim digon o fwyd i fy hoff aderyn, sef y pâl. Mae gormod o egni yn cael ei wastraffu i wneud nwyddau newydd yn lle ailddefnyddio papur, plastig, gwydr ac yn y blaen.

Cofiwch ailgylchu gwastraff!

Mae niferoedd llysywen y tywod (sand eel) yn prinhau oherwydd cynhesu byd-eang. Y llysywen ydy prif fwyd adar môr fel y pâl a gwennol y môr. O ganlyniad, mae niferoedd yr adar môr wedi lleihau hefyd.

Mae ailgylchu'n ffordd o ymladd yn erbyn cynhesu byd-eang. Mae angen llai o egni i ailgylchu na chynhyrchu nwyddau o'r newydd. Wrth ailgylchu, mae llai o nwy carbon deuocsid yn cael ei ryddhau i'r atmosffer.

Fyddwn i wrth fy modd yn dweud diolch, ond mae fy ngheg i'n llawn!

Beth am i bawb blannu coeden!

Mae coedwigoedd glaw'r byd yn amsugno llawer iawn o'r carbon deuocsid o'r aer. Pam fod cymaint o'r coedwigoedd glaw yn cael eu torri? Mae ardaloedd eang o goedwigoedd glaw yn Madagascar a Brasil ac maen nhw'n torri'r coed er mwyn eu gwerthu a chael tir ffermio. I wella'r sefyllfa, mae'n rhaid ailblannu'r coed yma.

Dw i'n byw yn Awstralia. Mae ein riffiau cwrel mewn perygl oherwydd cynhesu byd-eang. Mae prinder dŵr yn broblem hefyd a dw i wedi penderfynu arbed dŵr. Mae cau'r tap wrth i chi olchi eich dannedd yn gallu gwneud gwahaniaeth.

16

Wrth i'r môr gynhesu, mae'r riffiau cwrel yn marw. Mae'r riffiau yn cynnig cynefin cysgodol ar gyfer anifeiliaid a physgod o bob math. Mae'r riffiau hefyd yn amddiffyn yr arfordir rhag tonnau'r môr. Mae'r Barriff Mawr yn Awstralia yn enghraifft wych o hyn. Mae gwyddonwyr yn dweud bod y riffiau cwrel yn diflannu'n gyflymach na'r coedwigoedd glaw.

Mae miliynau ohonom yn byw yma!

Gustav

Dw i'n byw yn Sweden. Dw i'n hoffi crwbanod y môr. Ond mae cynhesu byd-eang yn bygwth eu dyfodol. Er mwyn eu helpu, dw i wedi penderfynu siopa'n lleol. Mae rhai bwydydd yn cael eu cludo mewn awyrennau o wledydd sy'n bell o Sweden – er ein bod yn gallu eu tyfu yma yn Sweden. Dyna beth ydy gwastraff egni!

Dw i wedi perswadio Mam i brynu bwyd lleol.

Mae niferoedd crwbanod y môr gwryw a benyw yn cael eu penderfynu gan gynhesrwydd y dŵr. Wrth i'r dŵr gynhesu mae mwy o grwbanod y môr benyw yn cael eu geni. Mae'n mynd yn anoddach iddyn nhw ddod o hyd i gymar, a bydd hyn yn effeithio ar faint o grwbanod y môr sy'n cael eu geni.

Gobeithio y bydd yna ddigon o fechgyn i ni'r merched yn y dyfodol!

Diolch, Gustav!

Mae prynu bwyd yn lleol yn syniad da. Mae hyn yn arbed egni gan y byddai llai o danwydd yn cael ei losgi gan lorïau ac awyrennau wrth iddyn nhw gludo bwyd o amgylch y byd. Felly byddai llai o nwy carbon deuocsid yn cael ei ryddhau i'r aer ... a llai o gynhesu byd-eang.

Hilda

Dw i'n byw yn Denmarc. Dw i'n hoffi anifeiliaid o bob math ond dw i'n hoffi pobl yn fwy na dim! Oherwydd cynhesu byd-eang, mae nifer y gwenyn yn lleihau. Mae gwenyn yn bwysig iawn i beillio planhigion. Heb y gwenyn, fyddai'r blodau ddim yn cael eu peillio a fyddai hi ddim yn bosib tyfu cnydau. Fel aelod o Griw Planed Plant, dw i wedi penderfynu gwneud compost er mwyn lleihau'r methan sy'n cael ei ryddhau i'r aer.

Ar ôl tua 6 mis, mae'r gwastraff o'r gegin yn troi'n bridd ffrwythlon.

Mae pobl ac anifeiliaid mewn perygl o ganlyniad i gynhesu byd-eang.

Oherwydd cynhesu byd-eang, mae'r gwenyn yn cael afiechydon. Yn yr Unol Daleithiau, mae hyd at hanner y gwenyn wedi cael eu lladd gan afiechyd. Mae gwenyn yn ein cadw'n fyw drwy beillio'r planhigion yr ydym yn eu bwyta.

Mae'r gwastraff o dai yn pydru dan y ddaear mewn tomennydd sbwriel. Mae hyn yn rhyddhau methan i'r aer. Mae'r nwy yma'n un o'r 'nwyon tŷ gwydr'. Os ydy'r gwastraff yn cael ei roi mewn compost, bydd hyn yn lleihau'r gwastraff sy'n mynd i'r safle tirlenwi.

21

Ben

Dw i'n byw yn Kenya. Mae cynhesu byd-eang wedi dechrau effeithio ar y bywyd gwyllt, felly dw i a fy ffrindiau am wneud rhywbeth i helpu. Rydym wedi dechrau defnyddio darnau o hen sbwriel i wneud teganau. Mae'n ffordd wych o leihau gwastraff. Dydy ailddefnyddio pethau ddim yn llosgi unrhyw danwydd.

Mae'n hwyl! Beth amdani!

Mae sychder yn digwydd yn aml yn Affrica o ganlyniad i gynhesu byd-eang. Wrth i'r cyflenwadau dŵr sychu, mae'r anifeiliaid yn gorfod chwilio am ddŵr a bwyd mewn ardaloedd newydd y tu allan i'r gwarchodfeydd natur. Mae'r anifeiliaid yn bwyta cnydau'r ffermwyr ac yn ymosod ar eu hanifeiliaid gan greu mwy o broblemau.

Hei Ben! Alla i gael tro!

Dw i'n ailddefnyddio fy hen sbwriel!

Ali

Dw i'n byw yn India. Dw i wedi perswadio fy nhad i godi melin wynt yn y pentref. Mae'r felin wynt yn cynhyrchu egni glân ... ac adnewyddol!

Jenny

Dw i'n byw yn yr Iseldiroedd. Yr albatros ydy fy hoff aderyn. O ganlyniad i gynhesu byd-eang, mae'r tywydd yn fwy stormus o gwmpas Pegwn y De. Dw i'n helpu drwy gael mwy o bobl i ymuno â Chriw Planed Plant.

Beth am edrych ar ein gwefan?

Dydy'r albatros ddim yn magu rhai bach hyd nes y bydd yr aderyn yn 12 oed. A hyd yn oed wedyn, dim ond un wy bob dwy flynedd maen nhw'n ei ddodwy! Oherwydd cynhesu byd-eang, mae'r tywydd stormus wedi ei gwneud hi'n anoddach iddyn nhw fagu yn llwyddiannus.

Am fwy o wybodaeth: www.theplanetpatrol.com

Beth amdani!

Rydym ni'n gallu gofalu am ein planed drwy wneud pethau fel:

Cymryd cawod yn lle bath.

Cerdded i'r ysgol.

Ailddefnyddio pethau.

Plannu coed.

Ailgylchu sbwriel.

Diffodd y golau.

Siopa'n lleol.

Gwneud bin compost.

Defnyddio egni'r gwynt.

Ymuno â Chriw Planed Plant!

29

Geiriau defnyddiol

Ailddefnyddio Defnyddio rhywbeth fwy nag unwaith yn lle ei daflu.

Ailgylchu Y broses o newid rhywbeth sydd wedi'i ddefnyddio'n barod, i wneud rhywbeth arall. Er enghraifft, defnyddio hen bapur i wneud papur newydd.

Atmosffer Mae'r atmosffer fel 'blanced' o nwyon gwahanol sy'n amgylchynu'r ddaear. Dyma'r aer rydym ni yn ei anadlu!

Carbon deuocsid Y nwy sy'n dal gwres yn yr atmosffer. Mae planhigion yn amsugno carbon deuocsid i gynhyrchu bwyd. Mae carbon deuocsid yn cael ei anadlu allan gan bobl ac anifeiliaid. Mae llosgi tanwydd ffosil hefyd yn creu carbon deuocsid.

Coedwigoedd glaw Ardaloedd eang o goed sy'n tyfu'n bennaf o gwmpas y cyhydedd. Mae'r coed yma'n amsugno carbon deuocsid er mwyn cynhyrchu bwyd yn eu dail.

Compost Cymysgedd o fwyd a gwastraff gardd sydd wedi pydru. Mae'r compost yn cael ei ychwanegu at y pridd i'w wneud yn fwy ffrwythlon.

Cymar Partner anifail.

Cynefin Darn arbennig o dir, coedwig neu afon lle mae planhigion ac anifeiliaid yn byw.

Cynhesu byd-eang Sut mae'r blaned yn cynhesu a'r newidiadau yn ei hinsawdd. Mae'n cael ei achosi gan lygredd yn yr atmosffer yn dal gormod o wres.

Effaith tŷ gwydr Yr atmosffer yn dal gwres o'r haul i gynhesu'r Ddaear. Mae'n union yr un fath â gwres yn cael ei ddal mewn tŷ gwydr.

Egni Cyflenwad o egni sy'n rhoi pŵer i wneud i bethau weithio. Mae bwyd yn rhoi egni i ni; mae car yn cael egni o ddiesel neu betrol.

Egni adnewyddol Egni sydd ddim yn dod i ben, er enghraifft egni o'r haul neu egni sy'n cael ei greu wrth i wynt neu ddŵr symud.

Gwarchodfa natur Ardal sydd wedi'i hamddiffyn er mwyn gwarchod cynefin a bywyd gwyllt.

Hinsawdd Y patrwm tywydd mewn man arbennig dros gyfnod hir o amser.

Melin wynt Mae llafnau'r felin wynt neu'r tyrbin gwynt yn troi gan gynhyrchu trydan.

Methan Nwy sy'n dal gwres yn yr atmosffer. Mae methan yn cael ei ryddhau pan mae pethau'n pydru neu pan mae gwartheg yn torri gwynt!

Peillio neu Ffrwythloni Paill yn cael ei gludo o un blodyn i'r llall er mwyn creu hadau a phlanhigion newydd. Mae rhai blodau yn cael eu peillio neu eu ffrwythloni gan y gwynt. Mae blodau eraill yn cael eu peillio gan y gwenyn.

Petrol Tanwydd sy'n cael ei ddefnyddio i yrru car neu foto-beic.

Riff cwrel Tir creigiog o dan y môr sydd wedi'i ffurfio o sgerbydau cwrel byw a marw.

Safle tirlenwi Twll mawr yn y ddaear lle mae sbwriel yn cael ei gladdu.

Tanwydd ffosil Mae tanwydd ffosil yn cynnwys glo, nwy naturiol ac olew. Maen nhw wedi'u creu o weddillion planhigion ac anifeiliaid sydd wedi marw miliynau o flynyddoedd yn ôl. Rydym yn llosgi tanwydd ffosil i greu egni. Wedi i ni ei ddefnyddio, mae wedi gorffen am byth.

Beth am ymuno â Chriw Planed Plant drwy edrych ar y wefan:

www.theplanetpatrol.com

Edrychwch ar y wefan i gasglu mwy o wybodaeth am gynhesu byd-eang. Mae gwybodaeth hefyd ar sut y gallwch leihau effeithiau cynhesu byd-eang. Gallwch hefyd rannu eich syniadau gydag aelodau eraill o Griw Planed Plant.

Mynegai

Cydnabyddiaethau

Y fersiwn Saesneg
Cyhoeddwyd gan Franklin Watts
Cedwir y cyfan o'r hawliau
Hawlfraint © Franklin Watts 2009

Y fersiwn Cymraeg
Cyhoeddwyd gan © Atebol Cyfyngedig
Cedwir y cyfan o'r hawliau
Hawlfraint © Atebol Cyfyngedig 2010

ISBN : 978-1-907004-44-5

Golygwyd gan Eirian Jones a Gill Saunders Jones
Dyluniwyd gan Stiwdio Ceri Jones, stiwdio@ceri-talybont.com
Gwaith celf gwreiddiol gan Mick Manning a Brita Granström
Noddwyd gan Gyngor Llyfrau Cymru

Cyhoeddwyd yn 2010 gan
Atebol Cyfyngedig, Adeiladau'r Fagwyr, Llanfihangel Genau'r Glyn, Aberystwyth, Ceredigion SY24 5AQ
01970 832 172
www.atebol.com

Mae'r llyfr hwn wedi'i argraffu ar bapur sydd wedi'i gynhyrchu o goed sydd wedi'u cynaeafu mewn ffordd gynaliadwy ac sy'n cydymffurfio â rheolau'r FSC.